Nóinín agus Siar Aniar!

Eibhlís Ní Dhonnchadha

Dómhnal Ó Bric
a mhaisigh

An Gúm
Baile Átha Cliath

An samhradh a bhí ann.
Bhí Nóinín agus a cairde ag ligean a scíthe i ngairdín na n-úll.
Bhí na crainn úll faoi bhláth agus na beacha
ag crónán ina measc. Bhí Garsúinín ag bailiú meala
ó bhláth go bláth. Bhí Lúdramán, an LEISCEOIR...
ag srannitarnaíl istigh i mbláth...zzzzzzzzz!
Léim Giobal agus é ag iarraidh breith ar pheidhleacán.

Bhí Nóinín ag caint leis an bhfáinleog agus
í istigh ina nidín faoi dhíon an tí.
D'fhill na fáinleoga gach samhradh ón Afraic
agus bhí Nóinín an-cheanúil orthu.

A fháinleog, a fháinleog, trasnaíonn tú an domhan,
Is binn liom, is binn liom, is binn liom do rann.
Is milis do bheol beag, is deas é do cheol,
Nach dtiocfá anuas chugam, a éinín gan smál.

Bhí ceithre ghearrcach sa nead ag an bhfáinleog
is í á mbeathú. 'Cá bhfuil Póigín? Is ait liom gan í
a fheiscint timpeall,' arsa an fháinleog.
'Ó an gcreidfeá go bhfuil sí imithe go Páras ag siopadóireacht.
Ní shásódh aon rud í ach eitilt ann chun bróga nua
a cheannach!' arsa Nóinín.

Ding a ling a ling, ghlaoigh fón Nóinín.
Anuas le Dána go mear agus d'fhreagair é!

'Haló, Haló, Haló, Haló, Haló, Haló, Haló, Haló, …
níl Nóinín anseo … is mise Dána – an damhán alla is dána ar domhan. Beacha sa tarracóir! … Siar Aniar ar iarraidh! Tá go maith, inseoidh mé é sin di … slán.'

‘Tá mé anseo! … Sin BRÉAG! … Cé a bhí ann?’
arsa Nóinín go crosta.

‘Ha ha ha, do chara Seán Ó Laighin a bhí ann agus deir sé go bhfuil gach rud trína chéile! Ní chuireann sé sin aon ionadh orm, bíonn gach rud suas síos agus trína chéile air siúd i gcónaí! Is breá liom an fón seo, tógfaidh mé iasacht de chun glaoch ar chuileog nó dhó!’ arsa Dána.

‘Ach … níl cead agat!’ a liúigh Nóinín. Ba chuma le Dána … suas leis ar a shnáithín agus fón Nóinín aige!

Bhí Mini álainn dearg ag Nóinín,
léim sí féin agus Giobal isteach inti.
'Bzzzzzzzzzz…fan linne,' arsa Garsúinín agus Lúdramán
ag eitilt isteach sa charr.

Vrúm … vrúm …vrúmmmm…
As go brách leo sa Mini go tigh Sheáin cois trá.

Tá Seán ó Laighin thiar sa ngleann,
Tigh beag deas aige féin is a chlann,
Ní dada leis an obair throm, ach maireann sé go sásta!
Óró mo ghile thú, fan ansúd, a Sheáin, a rún,
Óró mo ghile thú, fan ansúd go sásta.

B'fhearr leis siúd ná cóiste an rí, a phónaí rua is a chairtín buí,
Ina shuí ansúd ar mhála tuí, ag dul 'dtí an margadh gáire!
Óró mo ghile thú, fan ansúd, a Sheáin, a rún,
Óró mo ghile thú, fan ansúd go sásta.

Dá mbeadh agamsa tigh sa ngleann, tigh sa ngleann, tigh sa ngleann,
Dá mbeadh agamsa tigh sa ngleann, nach mise féin bheadh sásta.
Óró mo ghile thú, fan ansúd a Sheáin, a rún,
Óró mo ghile thú, fan ansúd go sásta.

Ba bhreá le Nóinín agus a cairde cuairt a thabhairt ar thigh Sheáin mar go mbíodh iontaisí an tsaoil le feiscint ann. Bhíodh gach aon rud trína chéile agus giuirléidí aite caite ar fud na háite. Bhí seanfholcadán caite sa ngairdín agus sútha talún ag fás ann.

Nuair a shroicheadar tigh Sheáin, bhí Seán ann agus a cheann sáite in inneall an tarracóra.

Phléasc Garsúinín agus Lúdramán amach ag gáire nuair
a thugadar faoi deara cad a bhí á chaitheamh aige!
Bhí pitseamaí agus buataisí air … ceann dearg agus ceann glas!
'BZZZZZZZ…..BZZZZZZ … conas go bhfuil saithe beach
sa tarracóir?' a d'fhiafraigh Lúdramán go fiosrach. Isteach leis.
'Ó, Ó, Ó, a Gharsúinín, corraigh ort isteach anseo
tá siúcra ar fud na háite … mmm … go hálainn!'

Lig Nóinín liú ar Sheán: 'Cad é cúis go bhfuil siúcra sa tarracóir?'
'Ó fáilte, a Nóinín, níl aon mhaitheas sa tarracóir seo níos mó.
Bhí smaoineamh iontach ag Siar Aniar … ach … sin RÚN!
Tá gach rud trína chéile anois …
ní féidir liom an t-inneall a thosú!
Is ag Siar Aniar atá an eochair …
dúirt sé go dtabharfadh sé
aireachas di.'

‘Ach … cé hé Siar Aniar?’ arsa Nóinín go fiosrach.

‘Portán an-chliste is ea é … n’fheadar an bhfaigheadh sibh teacht air? Tá cónaí air ag Uimhir 5, Cosáinín na Carraige … abair leis go bhfuil an eochair uaim go dóite!’ arsa Seán.

‘Rachaimid go dtí a thigh anois díreach … siúil leat, a Ghiobail!’, arsa Nóinín.

‘Bhuf, bhuf, bhuf,’ arsa Giobal.

Rith Nóinín agus Giobal síos go dtí an trá. Ba bhreá le Giobal bheith ag snámh san fharraige … léim sé isteach … SPLIS … SPLAIS!

Chonaic Nóinín plaoiscín caite ar an ngaineamh.

'Féach! Is le portán an plaoiscín sin!'

Phioc Nóinín suas an plaoiscín.
'N'fheadar an le Siar Aniar é seo?'

A Phortáin, a Phortáin, cá bhfuil tú ag dul?
Ag siúl siar aniar, an dtéann tú ar scoil?
Mé féin is an maicréal ag ól cupán tae,
I gcomhad faoin turscar, tar éis obair an lae.
Má thagann coisín im' threo isteach,
Is breá liom mo chrúibín a shíneadh amach,
Lúidín, lúidín, do lig sé liú! Abhaits! Bú hú!
Níor bhac sé lena ghnó!

'Ach cá bhfuil Siar Aniar?' arsa Nóinín.

Tháinig Giobal ar thigín an phortáin. Bhí caisleán gleoite aige maisithe le sliogáin, píotháin, cluaisíní agus muiríní.

Bhí turscar mar chuirtíní ar na fuinneoga.

Chnag Giobal ar an sliogán a bhí mar dhoras lena lapa.

'Siar Aniar, an bhfuil tú sa mbaile?' arsa Nóinín.
'NIL MÉ ANSEO!' a d'fhreagair Siar Aniar.

Bhrúigh Giobal an doraisín lena chaincín.
Shín Siar Aniar amach a chrúibín agus rug sé
ar chaincín Ghiobail.

'Abhaits … mo chaincín!' arsa Giobal.
'Tá tú sa mbaile. Bhuf! Bhuf! …
Mo chaincín bocht!'

'Tá mé, níl mé, bhuel … b'fhéidir go bhfuil mé saghas anseo!'
a d'fhreagair Siar Aniar.
Bhí an portán i bhfolach istigh agus é trína chéile!

'Bú hú hú, chaill mé mo phlaoiscín agus anois
ní féidir liom teacht amach … beidh gach aon iasc
ag gáire fúm! Ní féidir liom siúl timpeall gan
mo phlaoiscín! Níl mé ag teacht amach!'

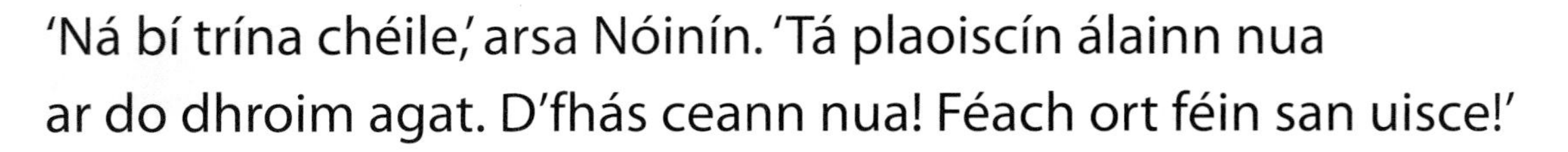

'Ná bí trína chéile,' arsa Nóinín. 'Tá plaoiscín álainn nua ar do dhroim agat. D'fhás ceann nua! Féach ort féin san uisce!'

'Cuimhnigh air sin! Yipí!' arsa Siar Aniar go bródúil. 'Plaoiscín nua snasta ar mo dhroim. Níor thuig mé go bhfásfadh ceann nua! Tá cathú orm gur ghortaigh mé do chaincín,' arsa Siar Aniar le Giobal. 'Ná bí crosta liom… de ghnáth bíonn gach aoinne crosta liom!'

'Níl mé crosta, ach ná déan arís é!' arsa Giobal.

'Tá Seán ag fuireach leat,' arsa Nóinín.

'Seán ag fuireach liom! Ódl … ódl … ó …
anois beidh Seán crosta liom! Ó … an EOCHAIR! …
Dúdal … údal … ú!
Dhearmad mé, an EOCHAIR … dúdal … údal ú!!'

Bhí carn turscair taobh lena thigín agus rith an portán isteach faoi. Tharraing sé amach diúilicín agus cad a bhí istigh ann ach an eochair!

'Anois, mo spéaclaí gréine! … naprún! spúnóg … spúnóg … ógl … ógl… óg,' arsa Siar Aniar ag rith isteach is amach as a thigín.

Léim Siar Aniar ar dhroim Ghiobail lena ghiuirléidí agus ritheadar ar ais go dtí tigh Sheáin.

Nuair a shroicheadar tigh Sheáin, léim an portán cliste
in airde ar an tarracóir agus chuir sé an eochair san inneall.
Ansin bhailigh sé chuige trí bhabhla.
Babhla siúcra, babhla uachtair agus
babhla mór millteach sútha talún.
Cé a sháigh a cheann aníos as an siúcra ach Lúdramán!
Níorbh fhada gur chuir Siar Aniar an ruaig air lena spúnóg!

'Isteach le gach rud sa phíopa seo … dúdal údal ú!' arsa Siar Aniar.
'Cad atá á dhéanamh agat?' arsa Nóinín, ag stánadh air.
'Anois … brúigh na cnaipí seo,' arsa an portán le Nóinín. Bhrúigh Nóinín na cnaipí go cúramach ach níor tharla aon rud.
'Níl aon mhaitheas ann, tá sé trína chéile!' arsa Seán go crosta.
'Hmmmh – dá dtosófá an t-inneall bheadh linn!'
arsa Siar Aniar go searbhasach.

Chas Siar Aniar an eochair lena chrúibín agus phreab an t-inneall ina dhúiseacht … glug … glig … glug, thosaigh uachtar reoite ag teacht amach as píopa amháin agus flas candaí ag séideadh in airde san aer ó cheann eile!

'Go hiontach ar fad,' arsa Seán, 'níl a leithéid de tharracóir ar domhan!'
'Mmmmmm … go hálainn,' arsa gach aoinne ag ithe! 'Nach cliste an portán tú!' arsa Nóinín, 'ní bheidh aoinne crosta níos mó leat!'

'Tá mise CROSTA, níor thug sibh cuireadh domsa
go dtí an féasta seo,' arsa Dána á thumadh féin sa bhflas candaí.

'Mmm…AHHHHHHH'…

Casadh timpeall agus timpeall agus timpeall é!

'Scaoil amach mé!!' ar sé de bhéic.

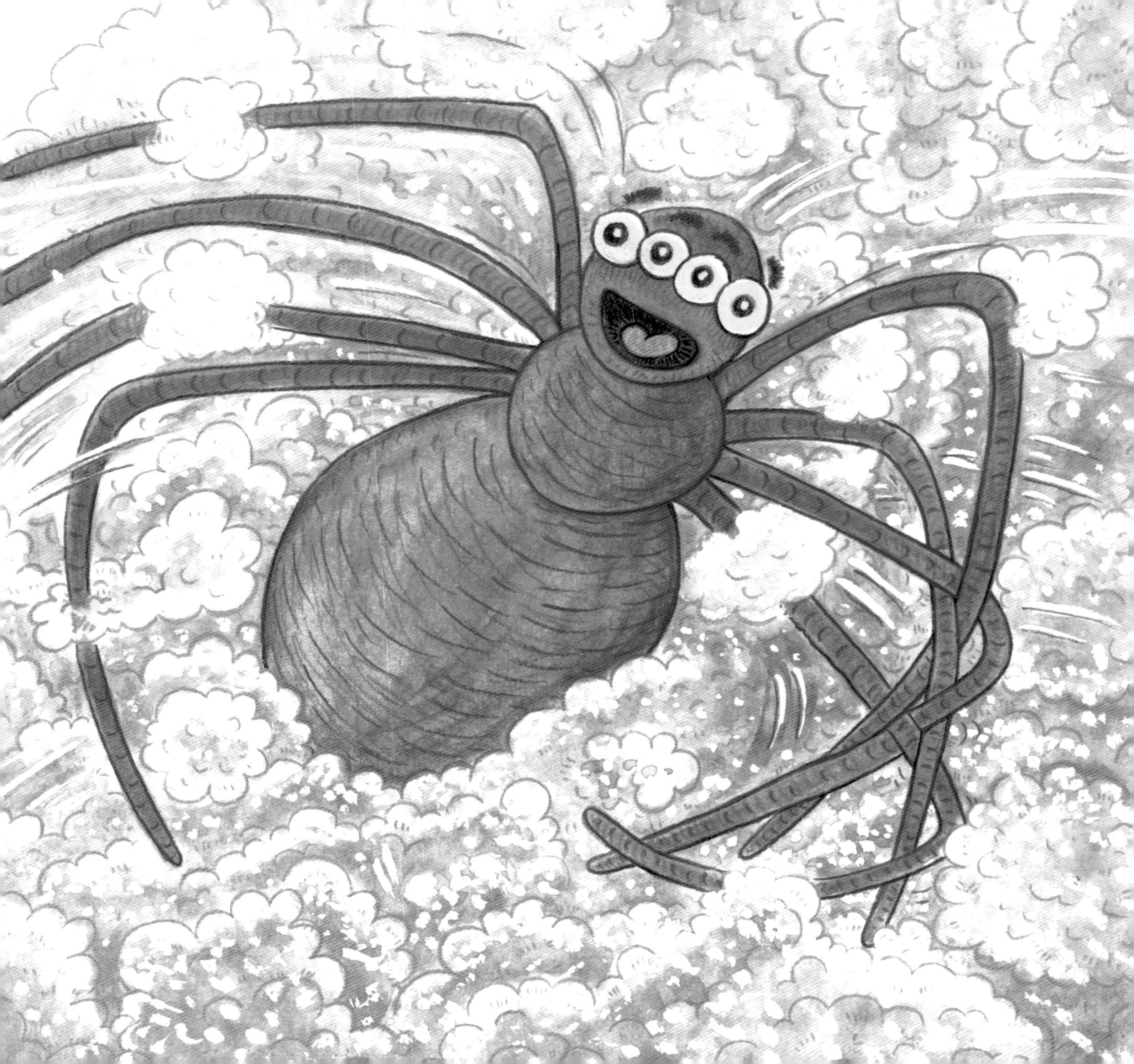

Bíp bíp bíp! Cé a bhí tagtha
ach Póigín agus a cairde galánta i dtacsaí.

'Ú hú, tá mé sa mbaile! An maith libh
mo bhróga nua?' arsa sí ag eitilt as an tacsaí.
'Cheannaigh mé seacht hata nua … ceann do
gach lá na seachtaine!' Bhí deich bpeidhleacán
eile léi, iad fíorghalánta. 'Seo iad mo chairde nua!'

'Ú la la – go hálainn!' arsa Garsúinín agus Lúdramán.

Stán Póigín ar Dhána a bhí in aimhréidh
sa bhflas candaí!

'Scaoil amach mé, tá mé in aimhréidh
istigh anseo!' arsa Dána.

Ach níor éist aoinne leis.
Bhíodar róghnóthach ag ithe.
Sheinn Siar Aniar an giotár agus
thosaíodar go léir ag canadh.

Ú la la dippi dí dú
Ú la la dippi dí dú
Ú la la dippi dí dú
Is mise Póigín, ú hú!

Póigín, Póigín ú la la,
Seodra, málaí is sála,
Ag eitilt, ag eitilt ó bhláth go bláth,
Ag suí ar do láimhín, má tá tú lách.

Ú la la dippi dí dú
Ú la la dippi dí dú
Ú la la dippi dí dú
Is mise Póigín, ú hú!

Póigín, Póigín ag rince san aer,
Níl aoinne chomh hálainn léi faoin spéir,
Ú la la dippi dí dú, Póigín, Póigín is breá linn tú!

Ú la la dippi dí dú
Ú la la dippi dí dú
Ú la la dippi dí dú
Is mise Póigín, ú hú!